ÉCRITS DES HAUTES-TERRES

Debout la lumière

JEAN DORVAL

COLLECTION « CIMES »

Écrits des Hautes-Terres
42, rue Henri
Montpellier (Québec)
Canada J0V 1M0
Téléphone : **(819) 428-2337**
Télécopieur : **(819) 428-2338**
Adresse électronique : **info@hautes-terres.qc.ca**
Site Internet : **www.hautes-terres.qc.ca**

Nous remercions le Conseil des Arts du Canada de l'aide
accordée à notre programme de publication. Les Écrits des
Hautes-Terres reçoivent aussi l'aide de la Sodec, Société
de développement des entreprises culturelles.

Diffuseur
PROLOGUE INC.
1650, boulevard Lionel-Bertrand
Boisbriand (Québec)
Canada J7H 1N7
Téléphone : **(450) 434-0306**
Télécopieur : **(450) 434-2627**

ISBN : 2-922404-41-2

Dépôt légal :
Bibliothèque nationale du Québec, 2003.
Bibliothèque nationale du Canada, 2003.

*Le poète n'est pas plus utile à l'État
qu'un joueur de quilles.*

Malherbe

Des

riens

Le soleil oblique
la rue de flocons

À rompre le temps

Tout m'avale
depuis l'écho du vent

Chaque seconde grisonne
le pain des années

M'enfoularde
une autre saison

La première neige
prolonge la page

Les aiguilles
tournent la lumière

Dans la pâte
dans le cri

Les doigts cuisent
la mémoire

Les galaxies
de l'arrière-cuisine

S'émiettent d'enfances
aux brisants de la messe

Aoûtée de filantes
ma peau communiante

Bouche offerte
au regard nu

Le soleil se lève
complice du lampadaire

Les poings soumettent
les lèvres

Une image parle
sur la croix

La nouvelle crucifiée
porte le camelot

Je franchis l'homme à obstacles

Les haut-parleurs
malmènent les cris

Comment pourrais-je éviter
la conjugaison des horaires

Le poème n'a pas de point d'arrivée
Le verbe sue toujours
                    dans ses espadrilles

Virages défigurés
la blessure klaxonne

À saute-mouton une balle rebondit
rêve rouge éveil orange

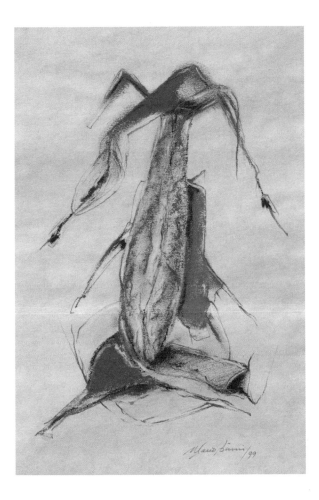

Mario Boivin, *Le sceptre magique*,
pastel sec, papier, 14 po x 10,5 po, 1999.

Au pare-brise des heures
Les ruelles se hérissent de clous

Je sirote
le flamenco de la pluie

La nuit pétille
de soupçons

La langue se dévêt de cris

Des ustensiles témoins
rouillent la pensée

Déposer ses empreintes
sans résistance

Ai-je le temps d'arrêter les dés
en pressant le hasard

Les nombres de la main
j'en desserre les veines

Bras dessus bras dessous
d'une sanguine

Je me tire
des bras du songe

Haut les mains
haut les mots

La poésie cible
les riens les plus ronds

Les riens servent
les étoiles et les blés

Des îles aussi étranges
que des jeux de mots corrigent
le parcours de la vague

La mer dont je mouille langue
quand je m'arrime au journal de bord

À bord d'une comète j'essuie
la courbure de l'émotion

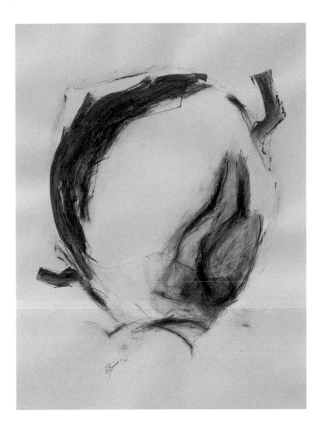

Mario Boivin, *Bleu cornu*,
techniques mixtes, papier, 29 po x 22 po, 1991.

Aux abysses du chant le plus sourd

Rimbaud crie de nouveau
en lisant sur les lèvres analphabètes

Le sauvage silence de brindilles
l'édredon misérable des sans-voix
depuis les premiers envols titube

Sous les ailes de la mésange
l'Éthiopie piaille de cerveaux

Jésus dit des poèmes à Béthanie
Il me récite en chair et en os

M'empêche-t-il de lancer les filets
Il dépêche mon corps
de dépasser le large du sang

La graine de moutarde me boussole
le plancton multiplie ses yeux
                    de paraboles

La lumière culmine le fruit

Et pour semer en terre humaine
la charrue des aubes

Quelques arpents de lumière

Pas si bête en somme
le travailleur s'enculotte d'une étoile
et scelle l'espace de sa journée

Le doré des efforts boursoufle
de métiers

Au jardin où s'attable la fatigue
quelle branche assure
l'emploi du fruit

Tatouage limpide ou massage codé
le chant des mains traduit
jusqu'au bras de mer un prénom
                              de femme

La couleur peigne le souffle du pinceau
Lozeau sème Saint-Denys l'oiseau

Quelle touche musclée ce retour d'appel
quelle langue à prendre
                         ce relais des doigts
au risque d'interroger
                         les lèvres de l'âme

Des cellules sans nom
me relient

Maille une mosaïque maille

Rien n'explique
le tricot de ma trame liquide

De nouveau la couleur circule
                                et m'affuble

Je ne sais pas si je dois m'approcher
je n'arrive pas à me voir

On me touche je me débats
                         dans les liquides
on m'enveloppe de parfums

À mesure que le réel
respire la lumière

Un don regarde mes yeux

Que va-t-il se passer maintenant

Des perles incontrôlables suintent hors les murs.

Paul-Émile Borduas

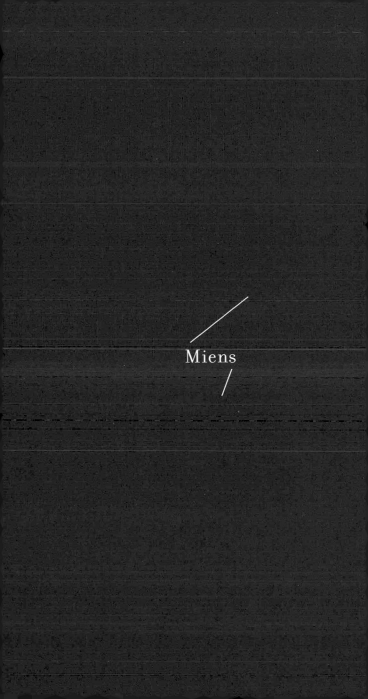

Miens

Au couloir
des codes de couleurs

Je suis une leçon
sans cesse répétée

L'urgence de la parole
debout

En feuille verte
blanche ou bleue

Ce qui reste de la mémoire

Graffiti tu m'ébauches
mur à mur d'ombres orales

Aux mains ni enclumes
ni pieds aux étriers

J'enfourche
l'écoute du désir

Le rouge ça va

Un cri comme je l'imagine
pleine rosace

Le vrai ciel au delà du bleu
serti du pinceau de la grâce

Au visage se greffe
l'invention sacrée

Quel visage cet aller retour miroitant
devant derrière démasque le réel

Entre nous
les chœurs prophétisent

Quelqu'un regarde me regarde
imprimé linceul des sans-habit

Tu peux croire en la résurrection

Mario Boivin, *Jardin des délices n° 15*,
épreuve d'état lithographique et rehauts d'huile,
30 po x 22 po, 1999.

J'ai mon cœur au poing
Comme un faucon aveugle

ANNE HÉBERT

L'humanité,

une
fresque
de
poèmes

Au secours des eaux

Quel esprit gigue en ses globules
la musique des transfusions

L'histoire draine l'eau polluée
                                de drames
jusqu'aux antipodes du blues

Je plonge à bord
d'une larme

À l'abordage
les oies rebelles

Des flèches dans les voiles

La mer illisible m'aveugle
de marées noires

Drapée de la paix
la nuit rend les armes blanches

J'ai la mémoire piratée
d'une prise d'otages

Les guitares accordent
leurs violons déportés

Débusquées de partitions
les forêts choralisent

Les lichens ponctuent
les marges de caribous

Les harpons perforent
à dos de fourrures

Portages de leurs
cris empaillés

Je souffre d'aiguilles
rouge courtepointe

L'album de famille
pique

Se greffent de météores
les yeux d'une paternelle
bénédiction

Borduas aux semences

Méconnaissable rime d'appartenance
à l'écoute de ses arrière-poèmes
                              sur l'écran

D'incroyables grands-pères
                          reprennent
les baby-boomers aux mains
                      de la retraite

Désaccordées
les notes survivent
emportées

Les archets rouillent
la grille-horaire

Fantasmes usinés
au cerveau chômeur

Les graffitis délibèrent

Écrire tout varloper

La petite ombre du temps
au trot des secondes du papier

J'en rabote les lignes

Au pied de roi
la page se déride

La diagonale du fou
une planche de salut

Les décennies
se superposent

En dolmens
comme de vieux jours

Qui n'a pas ausculté
l'ombre de l'âge

Le temps régit
la pierre et l'œuf

Le jour de poterie cuit
sa semaine au miroir

La Grande Muraille calligraphie
jusqu'à la lune

Son appétit polyglotte

Un milliard de grains de beauté
dans le bol de riz du Levant

Mars sur nos écrans

L'accolade électronique fait la une
dans les bras d'une imprimante

J'accroche le réel aux voiles de l'avenir

Mario Boivin, *Un brin de cœur*,
lithographie, 12,25 po x 12,5 po, 1994.

Siècle Titanic ! Siècle Challenger !

Des sentinelles
sur l'inforoute de la mémoire
communient

Une manne de versets
sur les dunes du sacrement
embouteillent l'espace de canaux

Je parle d'une haute toile
à vol d'amoureux

Deux papillons marient
l'offrande des ailes

Prières de cigognes
accouchées de voix

Provisions
d'existences

L'oreille du poupon
confesse les étoiles

Jusqu'aux pleurs de la cathédrale

Les angles droits rassemblent
                              les écueils
au ciment verbal de la truelle
                  et de la compassion

Le prophète est un poseur de mots

La solitude serrée des villes

Déboutonne la robine
de secrets

La poussière chasse les pas

Des actes de l'étrange silence
mémorisent l'étouffement

Photographes dévêtus

Une invitation sous masque
de la fermeture éclair

La mort referme
la chambre noire

Grince la sortie de l'enfance

La porte tournée
de l'impuissance

L'ange du cri
comme si je n'avais encore
rien écrit

Référendum sparages
et quadrille de factures

Retour des oiseaux moqueurs
au bingo des solitudes

Pas très loin du placard
Miron herbe de moissons

Les vagabonds soupirent jam session
au jamboree des sans-abri

Je m'encercle
d'un théorème à démontrer
                    la naissance

Six heures d'affilée au menu
à pendre le temps d'examens

Je déjeune par cœur
j'avale les figures du pain

Je noue les tic-tac
dans un sac à dos

L'âme figure-t-elle
le cardiogramme de son bulletin

Un chirurgien ranime
un tabac de souvenances

Le synonyme d'une cigarette
m'inocule encore

J'en appelle à mes graphiques
                              de peau
d'empaqueter les derniers
                              battements

Toute une histoire

L'esprit calumet
d'un aigle non fumeur

Filmez-moi par le nombril

Aucun bruit n'atteint
la partition du premier cri

Les ciseaux de Dieu me découpent
effet personnel

Les barreaux de la nuit
accomplissent la barre du jour

Autant que les fenêtres
s'évadent hors du temps

Les étoiles écrivent
une autre nuit

Au lit Courbet
deux amantes
d'une tendresse certaine

Le big bang érogène réduit l'amour
au sommeil des fossiles virtuels

Le couple préserve ses nus

Mario Boivin, *Figure précambrienne*,
techniques mixtes, papier, 5 po x 3,75 po, 1999.

Le téléviseur capture
                    la cellule familiale
avant de la cuire au micro-ondes

Sous les implants
la permission de vivre
                    est prisonnière

Tenterai-je d'atteindre
                    la métaphore
en habit de camouflage

Une séduction plagiaire contamine
le temple des célébrants

Vrai comme la nature du totem
le chrême de l'esprit ordonne

Des carrés d'échos
espacent le jamais-vu

Le temps est pipé à l'intérieur
                              du poing
pile ou face de la peur inculte

Le ciel ruiné de scintillantes
jusqu'au trou noir de l'aumône

Je timbre l'espace
mon âme entière enveloppée

Algorithmes et décollages
de loteries impondérables

Le télépoème de l'image

Je dévie le scénario des nuits
je rembobine l'appétit

Je sers le rêve

Ô poignées de mains
sur la nappe magnétique

N'éteignez pas cette fenêtre

Rallumez la langue
en mots de chandelles

Le pari divin s'ébruite
en chapelle ardente

Service rendu

Il y aurait une écriture du non-écrit.
Un jour ça arrivera.
Une écriture brève, sans grammaire, une écriture
de mots seuls.
Des mots sans grammaire de soutien.
Égarés.
Là, écrits.
Et quittés aussitôt.

MARGUERITE DURAS

Tiens

Les premières minutes
adorent la patience de l'être

Mais de quoi est-il question

D'une simple question à mon langage
au rien qui me définit

Au faîte du brin d'herbe
comme du clocher de la cathédrale

La pointe d'une plume déchirante
une aile blesse sa louange

Cette rue artérielle sans issue

Au moment où tout se glace
dans la mémoire

Voir et lire jusqu'au bout des veines
les yeux comprimés d'aspirine

Ce sang d'où
le croyable m'agenouille

Un reflet de proue dans la pipe
                          du grand-père
renifle les odeurs transatlantiques

Chaque caillou
chaque grain de sable

Cette enfance n'a perdu
ni son temps ni ses pas

Les algues dénouent
de survivantes trouvailles
récrivent la mer

Voyageuse
Écumeuse
Mystère

Quelle teinte tente tes yeux
au lever du soleil
De quel écho se pare ton cri

Oser revêtir la bure muette

Des fruits nouveaux servis
sur les marelles
la palette poudreuse des trottoirs

Aussi loin me souviendrai-je

Entre nous et l'oiseau

Se profile
l'orthographe
du vol

L'invisible respiration d'une seconde
reprend à la montre son parfum

L'heure éclôt

Le sang des corps
Est la sève du temps

GUILLEVIC

Des

liens

Sous le masque du soir
il suffit d'une tache

Le manque de lunes
dissimule le temps

Il m'arrive d'éplucher la lumière
aussi ronde que laineuse

Entre les mailles et les heures
les caresses du métier

Déguste mes yeux
j'ai tari la joie

Je sourcille de rosée
la douceur d'une aube

La chambre des oranges
au point de croix je la repique

J'enfile ton cœur
tendresse nue

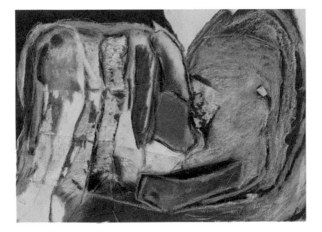

Mario Boivin, *Abstraction ludique*,
techniques mixtes, papier, 8,5 po x 11,5 po, 1998.

Un divan sur l'épaule
emporte ses secrets

S'assoit la confidence
au nombre des invités

Un ivoire chair Modigliani
écrème le regard

Je bois la fin du jour

Quelle femme remue le sucre

Entre vie et mort
la paraphrase du festin

Ces aliments récitatifs
que sont les versets

Du pain et du vin

Où vont tes yeux

De combien de levers
crayonnerai-je le soleil du cœur

Cézanne rhabille l'étreinte
au vocabulaire de l'horizon

Je garde
un rouge de toi

Au couchant des hanches

La ligne fabuleuse
de tes lèvres ouvertes

Cette bouche
où il ne fait jamais nuit

TABLE DES ŒUVRES DE
MARIO BOIVIN

17   Le sceptre magique

25   Bleu cornu

41   Jardin des délices n° 15

61   Un brin de cœur

77   Figure précambrienne

105   Abstraction ludique

TABLE DES MATIÈRES

7   Des riens

33   Miens

43   L'humanité, une fresque
de poèmes

87   Tiens

99   Des liens

113   Table des œuvres de
Mario Boivin

DE L'AUTEUR

Poésie

Blanche Mémoire, renku (avec Micheline Beaudry), Éditions David, Ottawa, 2002.

Les Préposés Magnifiques (affiche de soixante-quatre poèmes sur le thème des travailleurs), Éditions Les Ateliers Créateurs, Québec, 2000.

Carnet du Promeneur, poèmes (avec des photographies de Patrice Fortier), Éditions Mémoire Vive, Québec, 1997.

Collectifs de poésie

Poésie : participation annuelle à des recueils collectifs, version papier et électronique depuis 1997, Éditions de l'Oésie, Québec.

« Pays-Fleuve », *Chantauteuil*, Éditions Le Loup de Gouttière, Québec, 1994.

Collectif d'engagement

La vie dans nos mots, neuf interviews de militantes et militants, Éditions Vie Ouvrière, collection « Engagement et Foi », Montréal, 1983.

Distinctions

Prix Chantauteuil, 1993 : mention spéciale pour le poème « Pays-Fleuve ».

Cinquième prix, Humanitas Poetry Contest, 1993, pour le poème « Echo » publié dans *Humanitas Poetry Annuale*, London, Ontario, 1993.

Debout la lumière

est le neuvième titre de la collection « Cimes »
et le quarante-troisième publié par Écrits des Hautes-Terres.

Direction littéraire
Pierre Bernier

Direction de la collection
Andrée Lacelle

Codirection artistique
Laurence Bietlot
Jean-Luc Denat

Composition et mise en pages
Mario L'Écuyer

Conception de la page couverture
et image de marque
Jean-Luc Denat

Achevé d'imprimer en septembre 2003
sur les presses de l'**Imprimerie Gauvin limitée**
pour la maison d'édition Écrits des Hautes-Terres

ISBN : 2-922404-41-2

Imprimé à Gatineau (Québec) Canada